Les serpents

Texte d'Adrienne Mason

Illustrations de Nancy Gray Ogle

Texte français de Martine Becquet

J'EXPLORE

LA FAUNE

Éditions
SCHOLASTIC

Pour Angus — A.M.

Pour mon fils, Connor — N.G.O.

Je tiens à remercier M. Patrick Gregory, professeur de biologie
à l'université de Victoria, pour ses conseils et la relecture de mon manuscrit.

Conception graphique de Marie Bartholomew.

Édition publiée par les Éditions Scholastic,
175 Hillmount Road, Markham (Ontario) L6C 1Z7,
avec la permission de Kids Can Press Ltd.

4 3 2 1   Imprimé et relié en Chine   05 06 07

Catalogage avant publication de Bibliothèque et Archives Canada

Mason, Adrienne
Les serpents / Adrienne Mason; illustrations de Nancy Gray Ogle; texte français de Martine Becquet.

(J'explore la faune)
Traduction de : Snakes.
Avec index.
ISBN 0-439-95808-3

1. Serpents–Ouvrages pour la jeunesse.

I. Ogle, Nancy Gray II. Becquet, Martine III. Titre.
IV. Collection.

QL666.O6M3614 2005   j597.96   C2004-905204-7

Sommaire

Les serpents

Le serpent est un animal long et mince qui ne possède pas de pattes. Il se déplace sur le ventre. La plupart des serpents sont des animaux terrestres (ils vivent sur la terre ferme), mais certains vivent dans l'eau.

Le serpent est carnivore, c'est-à-dire qu'il se nourrit d'autres animaux. Certains serpents sont venimeux. Le venin est un poison liquide que le serpent utilise pour tuer ses proies et pour se défendre.

Les serpents peuvent être aussi minces qu'un crayon, comme ce serpent aveugle, ou plus gros qu'un tuyau d'incendie, comme cet anaconda. D'autres encore sont plus longs qu'une glissoire d'un terrain de jeux.

Serpent aveugle de l'Ouest

Anaconda jaune

Les serpents sont des reptiles

Le serpent est apparenté au lézard, à la tortue, au crocodile et à l'alligator. Tous ces animaux sont des reptiles.

Les reptiles sont des vertébrés, c'est-à-dire qu'ils ont une colonne vertébrale. Ils respirent à l'aide de poumons. Leur peau est dure, ce qui les empêche de se dessécher.

Les reptiles n'ont ni poils ni plumes pour se garder au chaud. C'est pourquoi ils s'installent dans des endroits chauds ou frais pour modifier la température de leur corps. Lorsqu'ils ont froid, habituellement le matin, les reptiles s'exposent au soleil. Une fois réchauffés, ils peuvent chasser pour se nourrir.

Le savais-tu?

Presque le tiers de toutes les espèces de reptiles dans le monde sont des serpents.

Parfois, les reptiles peuvent avoir trop chaud.
Ils se mettent alors à l'ombre ou dans un endroit frais,
comme ce terrier creusé dans le sol.

Boa à trois bandes

Où vivent les serpents

Les serpents vivent presque partout dans le monde, sauf sur quelques îles et dans des régions très froides, comme les hautes montagnes et l'Antarctique. Il existe plus de 2500 espèces de serpent dans le monde. Près de 500 d'entre elles vivent en Amérique du Nord.

Puisque les serpents ont besoin de chaleur, ils sont plus nombreux dans les régions chaudes. Les plus grands serpents du monde vivent là où il fait chaud toute l'année. Ces serpents n'ont pas besoin de se réchauffer le matin; ils ont donc plus de temps pour chasser leurs proies que ceux qui vivent dans les régions froides. Comme ils passent plus de temps à manger, les serpents des climats chauds peuvent devenir très grands.

Les serpents qui vivent dans les zones plus froides sont normalement plus petits, comme la couleuvre rayée. On la trouve dans les régions froides aussi loin au nord que les Territoires du Nord-Ouest, au Canada. La couleuvre rayée est le serpent le plus commun en Amérique du Nord.

Couleuvre rayée

La couleuvre rayée dans le monde

Amérique du Nord

Il n'existe pas de serpents à l'état sauvage à Terre-Neuve, en Nouvelle-Zélande, en Irlande et sur de nombreuses autres îles.

L'habitat

Les serpents habitent dans les forêts, les champs et les déserts. Certains vivent dans les marais et les océans. Ils vivent là où ils peuvent trouver de la nourriture et un abri. C'est ce qu'on appelle un habitat. Certains serpents se cachent sous des roches ou des troncs, ou vivent dans des trous creusés dans le sol. D'autres encore passent leur temps dans les arbres ou dans l'eau.

Serpent vert rugueux

Les serpents qui vivent dans les arbres se dissimulent si bien qu'on croirait des branches.

La forme et la couleur de certains serpents les aident à se dissimuler dans leur habitat, où ils attendent leurs proies sans bouger.

Crotale diamantin de l'Ouest

Serpent d'eau

De nombreux serpents passent leur temps
dans l'eau, où ils se nourrissent de poissons
et d'autres animaux.

Les petits serpents aveugles
vivent sous la terre et se
nourrissent d'insectes. Ils ne
sont pas vraiment aveugles,
mais leur vue est faible.

Serpent aveugle du Texas

Couleuvre des blés

Certains serpents vivent près
des humains dans des fermes,
des parcs ou même en ville.

11

La vie en hiver

Dans les régions froides de l'Amérique du Nord, les serpents changent leur comportement pour survivre en hiver. À la fin de l'automne, ils s'abritent dans des terriers, des grottes ou de profondes fissures dans la roche où il fait plus chaud. Ils se roulent en boule et ne bougent plus. Leur respiration et le battement de leur cœur ralentissent et ils ne mangent plus. C'est l'hibernation.

Même les serpents qui hibernent peuvent ne pas survivre à l'hiver. Si l'hiver est anormalement froid, de nombreux serpents meurent.

Lorsque le temps se réchauffe au printemps, les serpents qui ont survécu deviennent de nouveau actifs.

Parfois, des centaines, voire des milliers de serpents partagent un gîte d'hibernation.

Habituellement, les serpents retournent au même endroit pour hiberner chaque hiver.

13

Les parties du corps

Les serpents sont conçus pour se déplacer et se nourrir sans l'aide de pattes. Voici un serpent-roi.

La langue

Le serpent agite sa longue langue fourchue pour sentir l'air et le sol, ce qui l'aide à reconnaître l'odeur de ses proies, de ses ennemis ou d'autres serpents.

Les dents

Ses dents fines et pointues sont recourbées vers l'arrière pour empêcher les proies de s'échapper.

Les yeux

Les yeux du serpent l'aident à voir les objets rapprochés. Il n'a pas de paupières. Ses yeux sont protégés par une calotte transparente, appelée brille.

Les crochets

Les serpents venimeux ont de longues dents creuses, appelées crochets, qui transpercent la peau de la proie et injectent le venin.

La mâchoire

La mâchoire du serpent peut s'ouvrir de façon à avaler une proie plus grosse que sa propre tête.

Les organes internes

Le foie, les poumons et l'estomac du serpent sont longs et étroits pour loger dans son corps mince. Son estomac s'étire pour digérer une grosse proie.

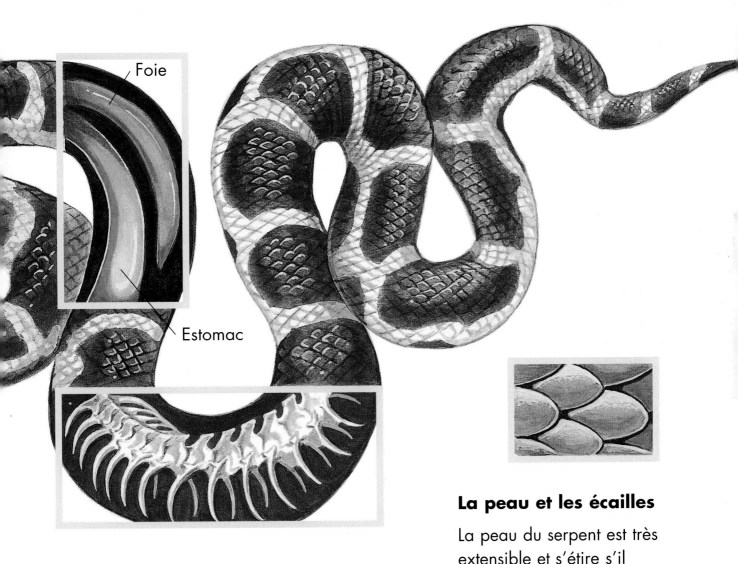

Foie

Estomac

La colonne et les côtes

La colonne vertébrale du serpent se plie facilement lorsqu'il se déplace. Chaque os de la colonne est relié à une paire de côtes courbes.

La peau et les écailles

La peau du serpent est très extensible et s'étire s'il avale une grosse proie. Des écailles épaisses et imperméables comme celles-ci protègent sa peau.

Les sens

Le serpent se sert de ses sens pour chasser ses proies et éviter ses ennemis.

La plupart des serpents voient bien de près. Ils réagissent rapidement à tout mouvement.

Les serpents peuvent entendre des bruits sourds. Ils sentent aussi les mouvements et vibrations à travers leur peau. Lorsque des animaux se déplacent, le sol vibre ou tremble légèrement. Ces vibrations peuvent aider un serpent à dépister un animal.

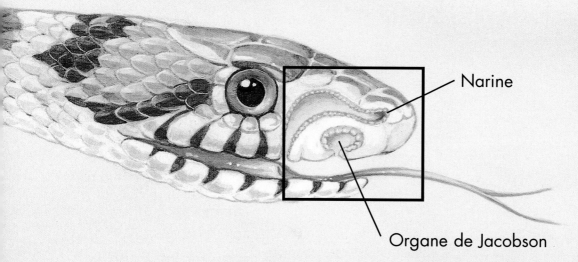

Narine

Organe de Jacobson

Les deux petites cavités situées dans le palais d'un serpent font partie de l'organe de Jacobson. Le serpent sort et agite sa langue fourchue pour flairer son environnement. Puis il la ramène dans sa bouche. Les odeurs recueillies vont alors dans les cavités. L'organe de Jacobson indique au serpent si de la nourriture, des ennemis ou d'autres serpents sont dans les environs.

Fossettes sensibles à la chaleur

Certains serpents, comme ce crotale, ont, entre les yeux et les narines, des fossettes sensibles à la chaleur. Celles-ci détectent les changements de température dans l'air. Le serpent sait qu'une proie est proche s'il sent sa chaleur. Les fossettes aident le serpent à chasser, même dans l'obscurité.

Mocassin à tête cuivrée

L'alimentation

Les serpents mangent des souris, des grenouilles, des insectes, des limaces, des rats, des oiseaux et même d'autres serpents.

Souvent, ils attendent, immobiles, afin de surprendre leurs proies. Ils peuvent attendre pendant des heures et même des jours. Lorsqu'une proie se présente, le serpent frappe avec rapidité.

Les petits animaux sont avalés vivants. Le serpent les agrippe avec ses dents pointues et bouge sa mâchoire pour les pousser au fond de sa gorge.

Les grosses proies sont d'abord tuées pour éviter qu'elles se débattent et blessent le serpent. Certains serpents injectent du venin dans leurs proies pour les immobiliser. Quelques minutes après la morsure du serpent, la proie meurt. Le venin aide aussi le serpent à digérer sa nourriture. La digestion d'une grosse proie peut prendre plusieurs jours.

Couleuvre tachetée

D'autres serpents s'enroulent autour de leurs proies pour les tuer. La proie est alors étouffée ou cesse de respirer.

Le serpent ne peut pas mastiquer, il doit donc avaler tout rond. Les os de sa mâchoire sont mobiles pour lui permettre d'engloutir de grosses proies. Les deux côtés de sa mâchoire inférieure sont reliés par des ligaments élastiques qui lui permettent de s'ouvrir davantage.

La manière de se déplacer

Les serpents se déplacent différemment selon leur habitat.

La plupart des serpents forment des courbes en S pour ramper. Leurs écailles ventrales adhèrent au sol et les aident à se propulser en avant. Les serpents qui nagent se déplacent de la même façon.

Serpents corail de l'Amérique du Nord

Crotale cornu

Le savais-tu?

Certaines espèces de serpents peuvent planer dans les airs.

Sur les sols meubles, comme le sable, les serpents se déplacent par torsions latérales. Ils se ramassent, puis se projettent vers l'avant et de côté.

Lorsqu'un serpent grimpe aux arbres ou creuse un terrier, il pousse et détend son corps comme une chenille arpenteuse. Tout d'abord, il replie l'avant de son corps pour agripper la branche ou les côtés du terrier, puis il ramène sa queue. Il s'agrippe ensuite avec sa queue et déroule le reste de son corps.

Couleuvres obscures

La naissance

Certaines espèces de serpents pondent des œufs. D'autres donnent naissance à des petits vivants. Dans les deux cas, les serpenteaux sont la copie miniature des serpents adultes.

La femelle du serpent cherche un endroit chaud, humide et caché pour y pondre ses œufs. Ainsi, les œufs restent humides et sont protégés des animaux mangeurs d'œufs.

La coquille des œufs du serpent n'est pas dure et fragile comme celle des oiseaux. Au contraire, elle est résistante et flexible. Selon l'espèce, une portée peut comprendre jusqu'à 50 œufs. La plupart des femelles abandonnent les œufs après la ponte. Mais certaines espèces protègent et couvent leurs œufs.

Les œufs éclosent après une période de 6 à 12 semaines. Un bébé serpent perce sa coquille à l'aide d'une petite dent, appelée dent de l'œuf.

Hétérodons à tête plate de l'Ouest

De nombreuses espèces de serpents vivant dans des climats froids donnent naissance à des bébés vivants. Les œufs sont plus au chaud dans le ventre de la mère que sur le sol frais et sont aussi mieux protégés des prédateurs que les œufs déposés sur le sol.

Couleuvres royales

La croissance et l'apprentissage

Les femelles de certaines espèces se cachent avec leurs petits pendant quelques jours après leur naissance. Mais la plupart des serpents adultes ne s'occupent pas de leurs bébés. Dès que les petits naissent ou que les œufs éclosent, ils sont autonomes.

Les serpenteaux savent chasser dès leur naissance. Ils commencent par manger de petites proies, comme des insectes ou des vers. En grandissant, ils se nourrissent de plus gros animaux. Les serpents venimeux possèdent du venin dès qu'ils naissent. Ce venin peut être encore plus puissant que celui de leurs parents.

En grandissant, les serpents muent : ils perdent leur peau externe. Une nouvelle couche de peau se forme d'abord sous l'ancienne. Le serpent se frotte la tête contre une roche ou de l'écorce pour que sa peau se déchire. La vieille peau se détache ensuite. Il s'en extrait en se tortillant, puis l'abandonne à l'envers.

Couleuvres fauves

Les moyens de défense

Les prédateurs des serpents incluent le hibou, le faucon, le corbeau, la mouffette, le raton laveur, la tortue et d'autres serpents. Les serpents peuvent mordre leurs prédateurs, mais ils ont aussi d'autres façons de se protéger.

De nombreux serpents se défendent en se cachant. Leurs couleurs et motifs se confondent avec les roches, la terre et les branches.

Souvent, les serpents qui se sentent menacés avertissent avant de mordre. Certains s'enroulent sur eux-mêmes et sifflent bruyamment. D'autres libèrent une mauvaise odeur. Le serpent à sonnette agite le bruiteur situé au bout de sa queue. D'autres encore essaient d'avoir l'air dangereux ou plus imposant en s'agitant ou en se redressant. Ils peuvent aussi feindre d'attaquer. Les couleurs éclatantes de certains serpents venimeux, rayés de rouge, jaune, blanc et noir, signalent aux prédateurs de rester à l'écart.

Crotale diamantin de l'Ouest

Le savais-tu?

S'il est dérangé,
l'hétérodon
à tête plate
se met parfois
sur le dos et
fait le mort.

Les serpents dans le monde

Afrique

Serpent d'arbre du Cap

Cobra à cou noir

Vipère hébraïque

Asie

Python réticulé

Cobra royal

Serpent à lunettes

Australie

Serpent noir à ventre rouge

Python à tête noire

Python woma

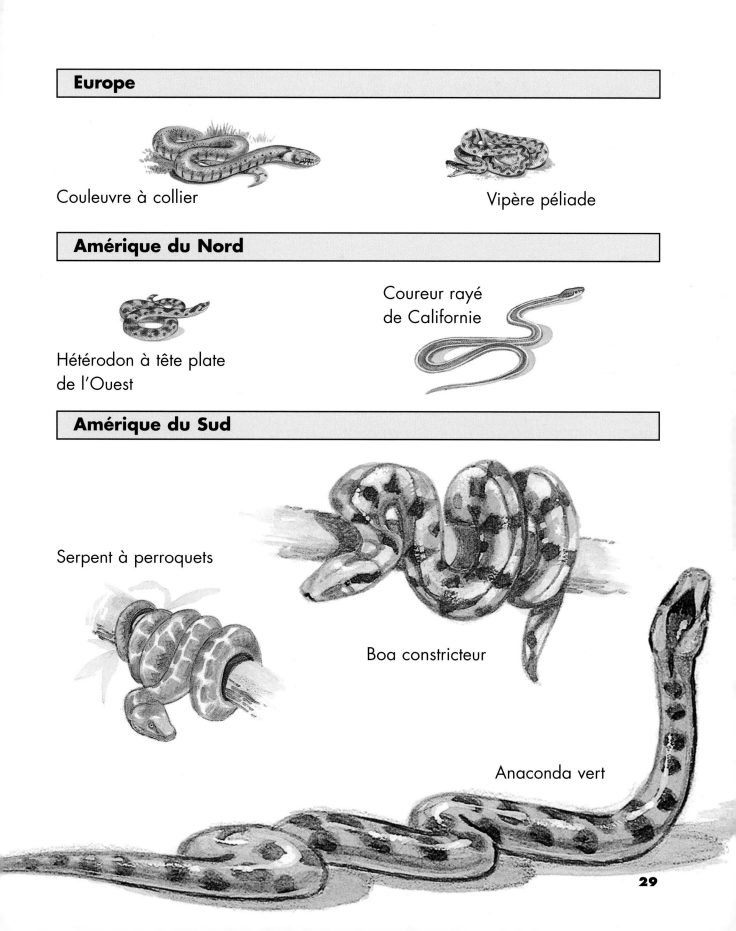

Europe

Couleuvre à collier

Vipère péliade

Amérique du Nord

Hétérodon à tête plate
de l'Ouest

Coureur rayé
de Californie

Amérique du Sud

Serpent à perroquets

Boa constricteur

Anaconda vert

Les serpents et les humains

Les serpents aident les humains en se nourrissant d'insectes et de rongeurs nuisibles, comme les souris et les rats.

Le venin de certains serpents est utilisé pour faire des médicaments qui aident les personnes ayant eu un accident cérébrovasculaire ou d'autres maladies. Il sert aussi à faire du sérum antivenimeux pour soigner les humains et les animaux, comme le bétail, qui sont mordus par les serpents.

Certaines personnes ont peur des serpents, même s'ils ne sont pas tous venimeux. C'est pourquoi ils sont souvent tués sans raison.

Les humains ont parfois peur des serpents parce qu'ils les connaissent mal. C'est ce qu'essaient de changer de nombreuses personnes. Les scientifiques étudient les serpents et leur habitat. D'autres personnes font des présentations sur les serpents aux enfants et aux adultes, et leur expliquent comment ils vivent. Elles aident aussi à sauver les habitats des serpents pour qu'ils puissent se nourrir et vivre en sécurité.

Les mots nouveaux

Sérum antivenimeux :
médicament utilisé pour traiter les
morsures de serpents

Carnivore : animal qui se nourrit
d'autres animaux

Habitat : lieu où vit un animal

Hibernation : long sommeil
profond qui dure tout l'hiver; ainsi,
l'animal ménage son énergie et peut
survivre aux durs hivers des climats
froids

Organe de Jacobson : organe
des sens qui permet au serpent
d'identifier les odeurs

Organe : partie molle à l'intérieur
d'un animal, comme le cœur, les
poumons et l'estomac

Prédateur : animal qui tue et se
nourrit d'autres animaux

Proies : animaux qui sont capturés
et mangés

Animal terrestre : animal qui vit
sur la terre ferme

Brille : membrane transparente qui
recouvre les yeux d'un serpent

Venin : poison liquide utilisé par
certains serpents pour tuer leurs
proies ou leurs prédateurs

Index